Réalisation : InTexte Édition, Toulouse

Traduction de l'anglais : Dominique Autié

ISBN 1-40542-891-0

Imprimé en Chine

AVERTISSEMENT

Aucune des informations contenues dans cet ouvrage
ne peut se substituer à un avis médical. Toute personne
dont l'état de santé est susceptible de le nécessiter
doit consulter un médecin généraliste ou spécialiste
avant d'exécuter tout exercice décrit dans ce livre.

sommaire

Introduction

Tout au long de l'histoire, les hommes ont cherché des voies nouvelles de travail sur eux-mêmes. L'origine du yoga se situe en Inde il y a 4 000 ans, et le tai-chi chuan, un art du mouvement harmonieux, en Chine il y a 2 000 ans. Développée au XXe siècle, la méthode Pilates associe la sagesse ancienne et la science contemporaine.

Les Jeux olympiques, qui virent le jour aux environs du VIIIe siècle avant notre ère, attirèrent des athlètes de nombreux pays. Bien que les jeux cessèrent en 393 apr. J.-C., leur reprise en 1896 les mit de nouveau sous les feux de l'actualité. Ils continuent de nos jours à attirer les meilleurs athlètes. Les Jeux sont ainsi,

Les exercices du Pilates nous aident à utiliser notre corps sciemment et correctement, ce qui amène à mieux de se tenir et améliore la santé.

tous les quatre ans, un événement mondial. Tout comme les Jeux olympiques, beaucoup de formes anciennes d'entraînement sont encore appréciées aujourd'hui, mais dans le monde entier on continue de rechercher de nouvelles méthodes pour maintenir le corps dans la meilleure forme possible : des sports de compétition jusqu'aux nouveaux procédés de conditionnement du corps, dont la musculation et l'aérobic.

Les objectifs de Pilates

La méthode Pilates a été développée au XXe siècle. Pratiquée régulièrement, elle aide à maintenir un fonctionnement harmonieux de l'esprit et du corps car elle demande à la fois une bonne concentration et des mouvements physiques fluides. L'objectif de la méthode Pilates est de faire travailler différents muscles afin de dynamiser le corps, tout en s'exerçant à une respiration efficace, à de bonnes postures et à la concentration mentale. Elle favorise l'équilibre global et la coordination tout en modelant le corps. Elle contribue à améliorer la souplesse de l'ensemble des muscles et des articulations.

Le Pilates à la portée de tous

Depuis sa création, ce type d'exercices associant l'esprit et le corps a séduit beaucoup de personnalités célèbres du monde entier. Il a été en vogue auprès de nombreuses acteurs d'Hollywood depuis que Gregory Peck l'a pratiqué. Aujourd'hui, des stars comme le tennisman Pat Cash et la chanteuse Madonna ont adopté la méthode Pilates comme leur entraînement favori. Top-modèles, danseurs et sportifs, tous ont profité des bienfaits de la méthode Pilates.

Pourtant, ce qui donne tout son prix à Pilates, c'est que vous n'êtes pas obligé d'être un athlète pour vous y adonner.

Les exercices sont « doux » et conçus pour imposer au corps aussi peu de tension que possible. En conséquence, n'importe qui ou presque, quels que soient son âge et sa forme, peut s'y lancer. Jeune ou senior, adepte du bodybuilding ou étranger à tout exercice physique depuis des années, vous pouvez tirer profit de la méthode Pilates. Nul besoin non plus d'un équipement particulier – le Pilates se pratique chez vous, tout simplement.

Presque tout le monde peut pratiquer la méthode Pilates. Les exercices sont doux et imposent au corps un minimum de tension.

Le stress et l'épuisement sont le lot de la vie contemporaine, mais le Pilates peut vous aider à lutter contre eux et à privilégier votre bien-être.

Les bienfaits pour la santé

Le Pilates peut vraiment améliorer votre état général. Les exercices conçus avec soin sont très efficaces pour donner du tonus à votre corps, amincir votre silhouette et vous mettre en grande forme sans faire de vous une montagne de muscles… Ils vous aideront à diminuer le stress et à vaincre la fatigue aussi bien qu'à vous donner confiance en vous et à stimuler votre désir de bien-être. Vous vous sentirez peu à peu devenir rayonnant, vous vous déplacerez avec une aisance nouvelle due à une meilleure coordination et à une plus grande souplesse musculaire. Pourquoi attendre ? Tout ce dont vous avez besoin, c'est d'un peu de temps libre et de motivation.

Qu'est-ce que le Pilates ?

Pilates est un système d'exercices qui vous permet de maîtriser votre esprit et votre corps. Il fait appel à des mouvements doux et fluides qui tonifient et étirent votre corps, et augmentent la force et la souplesse des muscles et des articulations. Il utilise le pouvoir du mental pour développer l'harmonie entre le corps et l'esprit.

On a présenté la méthode Pilates comme « une technique apparentée au yoga utilisant des appareils ». Joseph Pilates, son fondateur, s'inspira effectivement du yoga, mais les exercices sont différents. Si une salle Pilates avec un équipement spécial (poulies, ressorts) se trouve près de chez vous, cela peut vous aider, mais ce n'est nullement indispensable. En mettant en pratique les exercices de ce livre, vous constaterez que le seul équipement nécessaire à votre mise en forme, c'est votre propre corps.

Un minimum de temps pour un maximum d'effets

Les exercices Pilates ont été conçus pour faire travailler les muscles très efficacement en un minimum de temps. Ces exercices à faible incidence agissent sur le corps dans son entier et sont très efficaces. Il n'y a donc pas besoin de passer des heures chaque jour à faire de la gymnastique : il vous suffit de pratiquer seulement deux ou trois fois par semaine. Vous pouvez commencer par des séances de dix minutes, que vous allongerez progressivement.

Les exercices du Pilates considèrent le corps comme un tout et non comme un ensemble de zones au rôle survalorisé ou un groupement autonomes de muscles.

Remodeler le corps

Au fil des années, la capacité des exercices Pilates à remodeler le corps a séduit de nombreuses personnes aux modes de vie les plus divers. Bien qu'il soit certain que ce type d'exercices est susceptible de modifier votre apparence physique, il convient de rappeler que chacun de nous a sa conformation propre. L'important est de faire travailler son corps en admettant qu'il est impossible de changer complètement notre silhouette. Le tableau ci-dessous montre que le corps humain peut être classé en trois grands types morphologiques (typologie morphophysio-psychologique de Sheldon) connus sous les noms d'ectomorphe, de mésomorphe et d'endomorphe.

Ces trois types contribuent à définir notre apparence physique, mais certains pensent que le corps d'une personne peut aussi dépendre de certains traits de sa personnalité. Quelques-uns sont mentionnés ci-dessous.

Formes du corps

Type morphologique	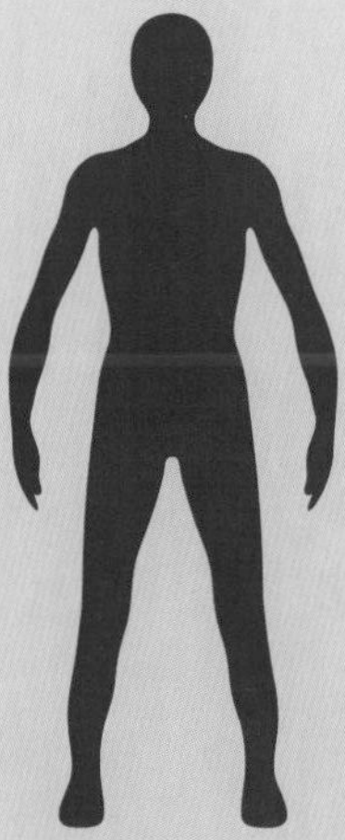 Ectomorphe	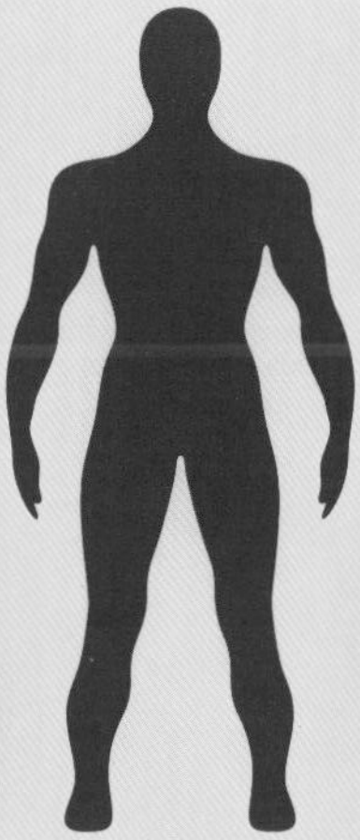 Mésomorphe	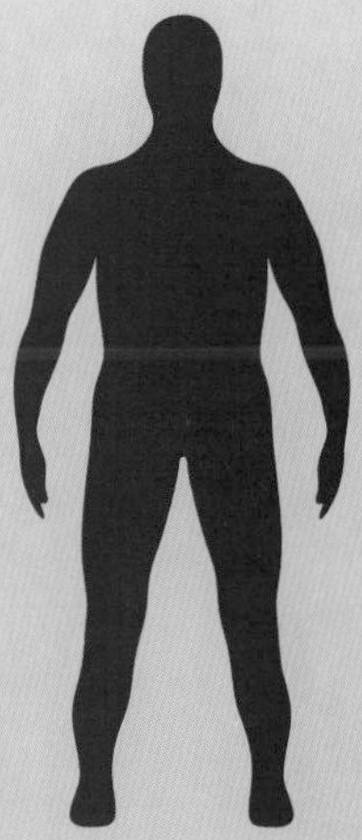 Endomorphe
Corpulence	Légère et délicate ; souvent grand et mince, avec des membres allongés	Athlétique ou musclée ; large carrure, membres et muscles longs	Lourde et enrobée ; tendance à la prise de poids
Autres caractéristiques	Type parfois associé à une vivacité d'esprit mais aussi à une personnalité intellectuelle et introvertie	Type parfois associé à une tendance à l'agressivité ; les mésomorphes sont souvent athlétiques et peuvent faire d'excellents sportifs	Type très souvent associé à un tempérament flegmatique, une attitude décontractée mêlée d'hédonisme

Historique
et développement du Pilates

La méthode Pilates a été conçue par un Allemand, Joseph H. Pilates. Enfant malingre et de santé fragile, il voulut remédier à sa médiocre constitution. Son attention à la forme physique fut aiguisée pendant la Première Guerre mondiale, durant laquelle il fut infirmier et eut à s'occuper de soldats blessés et immobilisés.

D ans les années 1920, Pilates mit au point des séries d'exercices qui utilisaient divers accessoires pour en améliorer l'efficacité. Par exemple, il imagina des exercices que les malades pouvaient exécuter sans quitter leur lit ; il fixa des ressorts à leur sommier afin de rendre les efforts musculaires plus performants et les exercices plus efficaces. Il ne tarda pas à vérifier que les malades recouvraient leur forces plus vite lorsqu'ils utilisaient les ressorts. Ce dispositif fut à l'origine de tout un équipement destiné aux exercices, que Pilates fut conduit à développer.

Un bon équilibre fait partie intégrante de Pilates, à partir d'exercices de maintien à pratiquer n'importe où, n'importe quand.

Après la guerre

La guerre terminée, Pilates émigra aux États-Unis et ouvrit son premier centre de mise en forme à New York. Ses méthodes attirèrent bientôt des personnalités en vue. Il perfectionna ses techniques et continua de le faire toute sa vie. Bien qu'il ait souvent utilisé des accessoires pour ses exercices, son système reposait à la base sur le travail au sol et se révélait tout aussi efficace que les exercices, élaborés plus tard, qui faisaient appel à un équipement. Les principes fondamentaux de Pilates s'attachent à une respiration maîtrisée, à l'alignement du corps, à des mouvements fluides et à une bonne concentration mentale.

Un équipement très simple, tel un manche à balai, suffit pour certains exercices à vous aider à bouger correctement votre corps.

Exploiter les capacités de votre mental est un composant essentiel de tous les exercices du Pilates qui apporte de grands bienfaits.

des mouvements gracieux, comme à augmenter votre résistance physique et votre souplesse. Rien d'étonnant, donc, à ce que le Pilates rencontre un tel succès chez tant de sportifs. Beaucoup ont adapté les exercices à leurs besoins et nul doute que d'autres innovations, fondées sur les principes de base du Pilates, continueront de voir le jour.

Le Pilates aujourd'hui

À l'origine, la méthode Pilates comprenait 34 mouvements, mais avec le temps différents praticiens ont apporté des variantes aux exercices. En conséquence, il n'existe plus aujourd'hui une méthode unique. À mesure que les idées nouvelles et les innovations étaient introduites, la pratique du Pilates les intégrait aux exercices de base. Mais, quoi qu'il en soit, le Pilates reste conforme aux principes d'origine qui constituent les fondements de la méthode.

L'un des atouts majeurs de Pilates demeure sa souplesse. Une fois que vous en avez compris le fonctionnement, vous pouvez transposer les mouvements du Pilates dans d'autres méthodes, et beaucoup de gens le font pour enrichir leur pratique dans d'autres disciplines. Les exercices peuvent vous aider à acquérir un meilleur équilibre, une coordination musculaire optimale et

Dans tous les exercices du Pilates, vous ne devez demander à votre corps que des mouvements qu'il réalise avec aisance.

Pourquoi pratiquer le Pilates ?

Le système Pilates propose un entraînement complet pour le corps, qui ne se contente pas de faire travailler les principaux muscles, mais aussi les plus faibles et les moins utilisés. Il vous rend ainsi capable de disposer d'un corps tonique et d'épanouir votre potentiel énergétique. C'est aussi une méthode accessible à tous, à tout âge.

Effets bénéfiques

Il y a de formidables bienfaits à recueillir d'une pratique régulière du Pilates. En plus d'une meilleure confiance en soi et d'un sentiment accru de bien-être, la pratique de la méthode Pilates apporte les avantages suivants :

- **Un meilleur équilibre :** les exercices vous procurent une connaissance plus profonde de votre corps et de votre système musculaire. Vous prendrez conscience de la symétrie de votre corps et, pour chaque mouvement, des freins et des contrepoids

- **Moins de stress :** le Pilates vous permet de vous relaxer et d'éliminer les effets chimiques du stress, tel l'excès d'adrénaline.

- **Une digestion plus efficace :** le Pilates peut vous permettre de tonifier et de renforcer les muscles du ventre. Comme il réduit aussi le stress, il facilitera donc la fonction digestive, qui se bloque durant les périodes de forte montée de stress et de tension nerveuse.

- **Augmentation de l'oxygène inhalé :** toutes les fonctions de l'organisme sont rendues plus efficaces, favorisant la disponibilité d'esprit, stimulant l'énergie et le tonus musculaire.

- **Une meilleure circulation :** le Pilates active le flux sanguin, ce qui entraîne une meilleure circulation des nutriments et de l'oxygène et une élimination plus facile des toxines.

- **Une peau embellie :** l'amélioration de la fonction cardiovasculaire entraîne une meilleure élimination et, en conséquence, une peau plus saine.

- **Un système immunitaire renforcé :** le Pilates, par le travail des muscles, favorise la circulation de la lymphe – c'est elle qui transporte les globules blancs, qui luttent contre les infections.

- **Un corps remodelé :** Les exercices vous aident à obtenir une silhouette plus fine.

- **Des capacités physiques plus grandes :** pratiquer le Pilates renforce la coordination de votre corps, vos capacités physiques et votre équilibre. Vous évoluerez avec plus d'aisance et de grâce.

Afin de tirer le meilleur parti des exercices du Pilates, vous devez vous assurer que votre corps est correctement aligné quand vous commencez.

Conseil

Le meilleur entraînement de mise en forme est celui qui améliore la souplesse et qui renforce vos capacités physiques et accroît votre endurance à l'effort. Le Pilates vous muscle et vous rend plus souple et il améliore votre coordination musculaire.

Pour obtenir les meilleurs résultats, associez à votre propre programme Pilates un type d'exercice cardiovasculaires tel que l'aérobic, afin de renforcer l'endurance.

Assurez-vous que vos mouvements sont lents et doux et que votre esprit est concentré lorsque vous pratiquez le Pilates.

Apprendre la pratique du Pilates

Cette partie de l'ouvrage constitue une première introduction au Pilates qui sera utile à toute personne qui veut découvrir en quoi consiste cette méthode et apprendre ses exercices de base.

Le Pilates convient tout particulièrement aux personnes en condition physique normale, qui ne sont pas sous surveillance médicale et qui ne souffrent pas de handicap physique – si ce n'est pas votre cas, consultez votre médecin avant de commencer tout entraînement.

Ce livre n'a pas pour objectif de remplacer la pratique du Pilates sous la direction d'un entraîneur certifié. Si vous décidez de vous intéresser à cette méthode, nous vous conseillons vivement de rechercher dans votre région un centre dans lequel un instructeur qualifié dispense un enseignement de Pilates (*voir* adresses utiles page 63).

Comment agit le Pilates

Les exercices du Pilates agissent efficacement sur le corps. Plutôt que sur des muscles particuliers, ils portent sur le corps comme une entité. Ils vous permettent d'accomplir toutes les tâches avec un meilleur rendement, qu'il s'agisse de porter les courses, de jardiner ou de déplacer un meuble. Le Pilates vous rend également plus souple.

Les émotions

La pratique du Pilates contribue à un bon état de santé, sur un registre émotionnel comme physique. Il peut développer votre confiance en soi et accroître votre sentiment de bien-être. Il peut aussi diminuer votre niveau de stress et vous aider à vous relaxer.

Dans une situation extrêmement grave ou dans toute autre circonstance qui provoque un grand stress, la réponse au stress (combat ou fuite, activation ou inhibition – ou syndrome combat/fuite) est activée dans notre corps. Tandis que votre corps se prépare à affronter la menace, de l'adrénaline est libérée, le rythme cardiaque, le métabolisme et la respiration s'emballent, le cortisol et d'autres hormones circulent dans tout le corps. Toute fonction qui n'est pas essentielle pour la survie immédiate – y compris le système immunitaire et la digestion – est automatiquement suspendue.

La réponse combat/fuite a permis à nos lointains ancêtres d'échapper à leurs prédateurs, en préparant leur corps à l'effort physique. L'exercice physique qui consiste à fuir ou à se battre contribue à évacuer le

Le Pilates et le corps

Le Pilates est un système d'exercices tonifiants excellent pour le corps, qui agit sur différents registres et niveaux :

- les émotions
- les nerfs
- le tissu conjonctif
- les muscles
- les os

Les exercices du Pilates vous aident à respire en utilisant les muscles du diaphragme.

stress. Passé le danger immédiat, après l'effort, le corps retrouve son activité normale.

De nos jours, le recours à l'effort physique ne peut pas dans tous les cas contrecarrer la réponse au stress. C'est pourquoi les substances chimiques du stress restent dans le corps, ponctionnant l'énergie, bloquant la digestion et les systèmes de défense de l'organisme. Le Pilates réduit la réponse au stress en aidant notre corps à fonctionner normalement. La respiration est plus régulière, le rythme cardiaque plus lent, le métabolisme plus régulier. Nous digérons mieux et nous sommes moins exposés aux refroidissements. Nous nous sentons mieux, de meilleure humeur, en un mot : plus heureux.

Le tissu conjonctif

Les exercices du Pilates tonifient le tissu conjonctif qui entoure, protège et soutient les parties vitales du corps, dont les os, les tendons et les muscles. La pratique régulière du Pilates peut revitaliser ce tissu conjonctif, renforcer la coordination des mouvements et réduire ainsi les risques de blessure.

Les nerfs

Au centre du système nerveux se trouvent le cerveau et la moelle épinière. Le système nerveux est un grand réseau de cellules qui transmet les informations entre toutes les parties du corps et qui en contrôle l'activité. Il permet le mouvement et la coordination.

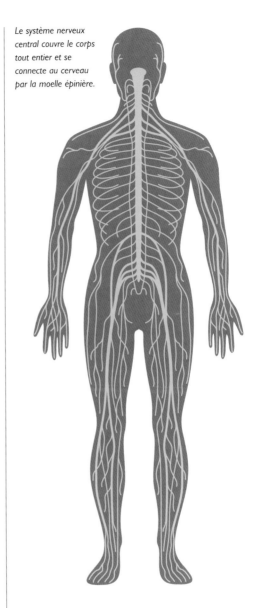

Le système nerveux central couvre le corps tout entier et se connecte au cerveau par la moelle épinière.

L'influx nerveux aboutit au cerveau, qui en émet un à son tour. Grâce à lui nous éprouvons des sensations et nos mouvements sont coordonnés. Le Pilates permet d'équilibrer relaxation et stress et accroît les performances du système nerveux.

Les muscles

Il existe plus de 650 muscles dans notre corps, qui font un énorme travail. Ils permettent au corps de bouger, grâce à eux nous pouvons nous asseoir et nous lever. Ils assurent et contrôlent des fonctions clés de l'organisme. Le cœur, par exemple, est un muscle qui pompe le sang dans tout le corps. L'estomac et les intestins, qui assurent la digestion, sont également des muscles. Le Pilates contribue à tonifier et à fortifier ces muscles afin qu'ils fonctionnent de façon plus efficace.

Traiter isolément un muscle ou un groupe de muscles dans un exercice physique est contraire aux principes du Pilates. Le Pilates s'attache à faire travailler l'ensemble du corps et l'entraîne de façon plus performante à assumer les tâches de tous les jours. Les muscles travaillent souvent par paires ou par groupes. N'en faire travailler qu'un seul, c'est agir au détriment des autres. Il est intéressant de savoir où sont situés les principaux muscles dans le corps, c'est pourquoi nous vous proposons ce petit atlas anatomique.

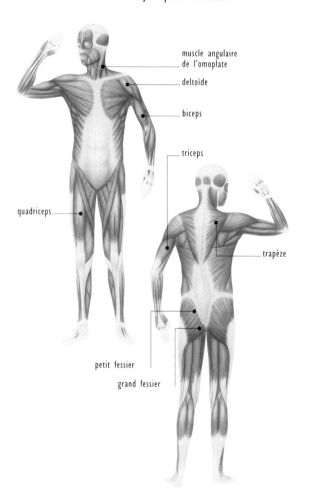

muscle angulaire de l'omoplate

deltoïde

biceps

triceps

quadriceps

trapèze

petit fessier

grand fessier

Les muscles dans le corps

Muscle	Partie du corps
Biceps	Face avant du bras
Deltoïde	Dessus de l'épaule
Petit fessier	Au-dessus de la partie charnue de la fesse
Grand fessier	Muscle à deux faisceaux de la partie charnue de la fesse
Muscle angulaire de l'omoplate	Sur les côtés et l'arrière du cou
Quadriceps	Dans la cuisse
Trapèze	Muscle triangulaire plat couvrant l'arrière du cou et l'épaule
Triceps	Face arrière du bras

Les os

Les exercices du Pilates contribuent à ramener les os dans leur alignement naturel et rigoureux. Une pratique régulière permet d'améliorer la posture et la coordination des mouvements. Les exercices développent également la stabilité, ce qui vous permet de réaliser vos mouvements et vos exercices physiques de façon plus efficace. La pratique régulière du Pilates rend les articulations plus mobiles et permet à tout le corps de fonctionner en douceur. Cela s'avère particulièrement précieux quand on prend de l'âge, car on peut maintenir et accroître sa mobilité, et ainsi rester plus actif dans les années futures.

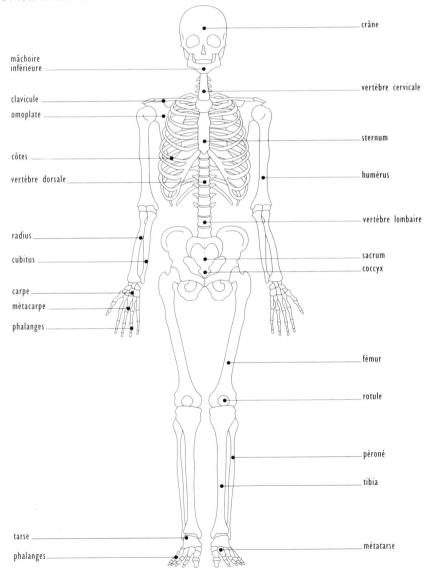

crâne

mâchoire inférieure

vertèbre cervicale

clavicule

omoplate

sternum

côtes

humérus

vertèbre dorsale

vertèbre lombaire

radius

cubitus

sacrum

coccyx

carpe

métacarpe

phalanges

fémur

rotule

péroné

tibia

tarse

métatarse

phalanges

CHAPITRE 2: LA PRÉPARATION

Équipement, environnement et précautions

Bien que Joseph Pilates ait conçu plusieurs accessoires ingénieux pour optimiser ses exercices – et il ne fait aucun doute que cet équipement peut donner d'excellents résultats dans le cadre d'un entraînement conçu pour l'utiliser –, il n'est absolument pas indispensable de se procurer un matériel particulier pour pratiquer la méthode Pilates.

Où pratiquer le Pilates

Si vous disposez d'un centre Pilates près de chez vous, cela peut être utile mais ce n'est pas indispensable. Chacun peut pratiquer le Pilates dans le confort de sa propre maison. Vous n'avez pas non plus besoin d'un matériel particulier. Assurez-vous seulement que l'endroit où vous allez vous entraîner est assez spacieux et sans danger. Pour les exercices au sol, un tapis un peu épais ou une descente de lit protégeront votre colonne vertébrale, c'est important. En progressant, vous jugerez peut-être que l'achat d'un tapis de sol vaut la peine mais, encore une fois, ce n'est pas essentiel.

Votre espace de travail doit être assez bien chauffé pour maintenir vos muscles détendus. Évitez toutefois les endroits très ensoleillés ou la proximité d'une source de chaleur artificielle qui rendraient votre corps trop chaud. Assurez-vous que l'air est renouvelé dans la pièce et qu'il n'y a ni désordre ni obstacle pouvant gêner vos mouvements.

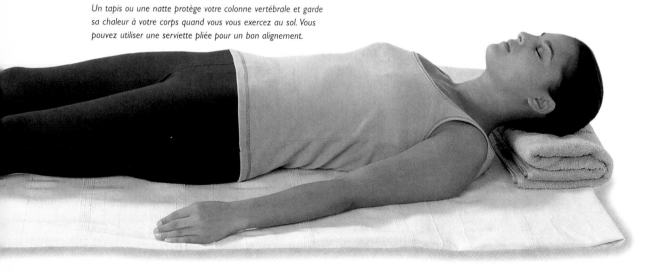

Un tapis ou une natte protège votre colonne vertébrale et garde sa chaleur à votre corps quand vous vous exercez au sol. Vous pouvez utiliser une serviette pliée pour un bon alignement.

Comment s'habiller

Un justaucorps, ou un short et un maillot de sport sont idéals car vous voyez vos muscles. Mais il ne s'agit pas non plus d'un préalable et vous pouvez vous contenter de n'importe quels vêtements : il suffit qu'ils soient amples et que vous vous y sentiez bien. Évitez surtout qu'ils vous serrent à la taille. Il est préférable de choisir un vêtement en coton qui vous maintiendra frais. Pour ce qui concerne les pieds, soit vous pratiquez les exercices pieds nus, soit vous portez des chaussures de sport. Pensez à enlever votre montre et vos bijoux avant de commencer.

Quand

Vous pouvez pratiquer le Pilates quand vous en avez envie, à tout moment de la journée. Certains préfèrent commencer la journée par des exercices, d'autres préfèrent la journée ou la soirée. Ce choix n'appartient qu'à vous. Abstenez-vous toutefois de faire des exercices immédiatement après avoir mangé, ou lorsque vous vous sentez fatigué ou indisposé.

Les séances d'entraînement peuvent tout aussi bien durer cinq minutes qu'une heure. Certains préféreront une seule séance quotidienne de 15 à 30 minutes environ, d'autres plusieurs séance plus courtes dans la même journée. Quoi que vous décidiez en la matière, l'important est de pratiquer régulièrement et de ne pas foncer tête baissée. Si vous ne disposez que de 5 ou 10 minutes, mieux vaut privilégier la qualité que la quantité : donnez-vous l'objectif de faire un petit nombre d'exercices lentement mais bien. Ne faites pas les mouvements plus vite pour en faire plus.

Si vous voulez des résultats constants en un temps raisonnablement court, fixez-vous au moins quatre séances d'un quart d'heure par semaine. Quoi qu'il en soit, le temps que vous consacrez au Pilates n'est jamais perdu. De courtes séances pendant les pauses au travail peuvent se révéler utiles pour réduire le stress et vous relaxer.

L'un des atouts de la méthode Pilates est sa souplesse – vous pouvez la pratiquer quand et où cela vous convient le mieux.

Pour votre sécurité

Que vous vous prépariez à une séance de Pilates de cinq minutes ou d'une heure, vous devez d'abord vous échauffer pour éviter de vous faire mal. Si vos muscles sont froids, ils vont naturellement se contracter et c'est alors qu'une blessure peut survenir. Marcher quelques minutes, dehors d'un bon pas ou en faisant du sur-place à l'intérieur, permettra à votre corps de s'échauffer. Il existe également des exercices spécifiques d'échauffement ; vous en trouverez quelques-uns plus loin.

Si vous souffrez d'une blessure ou si vous suivez un traitement médical, si vous êtes enceinte ou si vous avez un doute sur votre aptitude aux exercices, demandez un avis médical avant d'entreprendre tout exercice décrit dans ce livre. Il est possible de pratiquer le Pilates en étant enceinte, mais seulement après accord de votre médecin et sous la responsabilité d'un moniteur qualifié de la méthode Pilates.

Un petit nombre d'exercices du Pilates étant susceptibles d'accentuer, de façon occasionnelle, certains symptômes de la menstruation, si vous avez le moindre doute, mieux vaut vous abstenir pendant cette période. De même, si vous avez eu récemment un rhume ou une infection de la gorge, abstenez-vous de pratiquer les exercices pendant au moins deux semaines après la disparition des symptômes.

Il est essentiel de s'échauffer avant une séance de Pilates afin d'éviter de se blesser. Si les muscles sont froids et contractés, vous risquez de vous faire mal.

D'autres conseils

Vous devriez toujours vous assurez que vous buvez assez d'eau dans la journée – entre 1,5 et 2 litres par jour. Ne vous laissez pas vous déshydrater pendant que vous faites vos séances d'exercices. Quand vous êtes déshydraté, vous pouvez développer toutes sortes de symptômes tels que la nausée, le mal de tête ou l'épuisement. Une bonne consommation d'eau vous aide à éliminer de votre corps les toxines et autres déchets, et vous procure une sensation de fraîcheur et de tonus au moment de commencer votre séance d'exercices.

L'eau vous aide à éliminer les toxines. Un manque d'eau peut provoquer des maux de tête, la nausée et la fatigue.

Boire beaucoup d'eau est très important pour la santé et cela vous donne du tonus.

Certains exercices peuvent paraître de prime abord très modérés pour le corps mais décevants car leurs effets ne sont pas sensibles d'un jour à l'autre. Ne vous inquiétez pas, n'en demandez pas trop à votre corps et ne forcez surtout pas. Si vous sentez soudain une douleur vive, c'est que vous avez dépassé la limite et il vous faut relâcher aussitôt. Il n'y a aucune urgence, aucune obligation : faites les exercices à votre rythme et n'essayez pas d'en faire trop, trop vite.

Enfin, lorsque vous avez terminé votre entraînement, essayez de ne pas vous arrêter d'un seul coup. Restez actif quelques minutes, même si cela consiste à faire un peu de rangement ou à marcher d'une pièce à une autre. Cela donnera à votre corps le temps de retrouver son rythme normal.

L'esprit et le corps

L'une des différences majeures avec beaucoup d'autres méthodes est que le Pilates fait appel au pouvoir de l'esprit pour conforter les exercices physiques. Cette approche esprit-corps a ouvert un nouveau champ de possibilités dans l'univers de la mise en forme. Elle a permis de créer une structure d'entraînement harmonieuse, équilibrée et convergente.

Fixer ses propres objectifs

Avant de commencer votre nouveau programme, il sera précieux d'avoir une idée de ce que vous en attendez. Si vous souhaitez remodeler votre corps et embellir sa forme naturelle, vous pouvez y parvenir avec les exercices du Pilates. Vous pouvez aussi paraître plus élancé, plus svelte et plus souple. Vous pouvez encore améliorer votre maintien, augmenter votre

Prenez un moment pour vous concentrer et penser à ce que vous voulez réaliser à travers le programme Pilates.

force musculaire et votre souplesse. Si vous voulez mincir, le Pilates vous aidera à tonifier et à modeler votre corps, mais il ne vous fera pas, à lui seul, perdre du poids. Pour en prolonger les effets, il vous faudra adapter votre régime alimentaire et ajouter quelques exercices spécifiques pour brûler les graisses.

C'est pourquoi il vous faut, avant de commencer, prendre un moment pour décider exactement ce que vous attendez. Gardez cet objectif présent à l'esprit quand vous vous entraînez, car ainsi vous parviendrez plus vite au but.

Vous pouvez vous modeler une silhouette plus longue et plus fine grâce au Pilates, mais pour parvenir à une perte de poids significative, vous devrez aussi adapter votre régime alimentaire.

Le pouvoir de la visualisation

L'esprit exerce une influence considérable sur le corps. Cela provient du fait que le corps ne fait pas vraiment la distinction entre ce que nous visualisons mentalement et la réalité elle-même. Si, par exemple, nous nous représentons de façon très réaliste une situation stressante, nous allons déclencher dans le corps la réponse au stress, la réaction combat/fuite (*voir* page 12) qui va libérer de l'adrénaline et des substances anti-inflammatoires dans l'organisme et bloquer des fonctions telles que la digestion.

De même, si nous nous imaginons dans une situation particulièrement heureuse, le corps répondra en libérant dans l'organisme des substances de « bonheur », telles que les endorphines.

Vous pouvez apprendre à utiliser ce pouvoir de visualisation pendant les exercices. Pour commencer, vous représenter tel que vous souhaitez être va transmettre ce souhait sur le registre physique. Cela va également vous aider à rester motivé. La visualisation aide également à prendre les bonnes positions et à réaliser les exercices correctement.

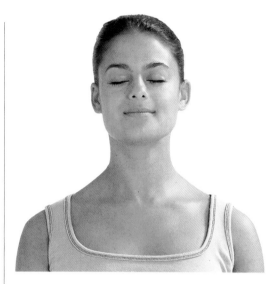

Visualiser une réalité positive peut favoriser sa réalisation. Pensez à concentrer vos pensées avant, pendant et après les exercices.

Par exemple, si vous pensez que le bas de votre dos se plaque contre le sol ou que vous attirez votre nombril vers votre colonne vertébrale, cela va vous inciter à faire fonctionner les muscles concernés et à réaliser les mouvements de façon rigoureuse.

La visualisation est donc une excellente alliée dans tout programme de mise en forme. Utilisez-la le plus possible pour obtenir plus rapidement les meilleurs résultats.

Imaginer que vous attirez votre nombril vers votre colonne vertébrale vous aidera à vous isoler et à faire travailler les muscles appropriés.

Apprendre à bien respirer

Une bonne respiration est essentielle pour assurer aux poumons un flux suffisant d'oxygène. L'oxygène purifie le sang et alimente tout le corps. Bien que, bébés, nous respirions naturellement de façon correcte, nous prenons au fil du temps de mauvaises habitudes de respiration. Un peu de patience suffit à maîtriser une bonne respiration.

les bienfaits d'une bonne respiration

La respiration est la clé de la vie et il y a de nombreux effets bénéfiques à attendre d'une respiration correcte :

- elle purifie le sang

- elle augmente vos capacités énergétiques

- elle favorise l'apport des nutriments aux tissus vitaux du corps

- elle revitalise les organes et les muscles

- elle rend votre entraînement plus efficace

- elle favorise les mouvements harmonieux

- elle vous aide à avoir l'esprit clair

- elle accroît le contrôle musculaire

L'importance de respirer régulièrement

Quand nous inspirons, nous faisons pénétrer l'air dans nos poumons. La respiration contribue à la circulation du sang dans l'organisme. Quand nous expirons, nous rejetons l'air vicié et le gaz carbonique. Si vous retenez votre souffle pendant un effort physique, le gaz carbonique reste dans vos poumons. Il s'accumule alors dans le corps et affaiblit les muscles. Retenir son souffle augmente la pression sanguine, contracte les muscles et entraîne une déperdition d'énergie. Il est donc essentiel de respirer régulièrement, sans rompre le rythme, pendant les exercices.

Une respiration régulière revigore et détend.

La respiration superficielle

Beaucoup de gens ne respirent pas assez profondément. Ils inspirent seulement dans la partie supérieure de la poitrine et n'envoient pas assez d'oxygène dans les poumons. Il est important de respirer à fond afin de bien remplir les poumons et assurer la quantité suffisante d'oxygène pour alimenter et purifier le corps.

La respiration abdominale

Beaucoup d'entre nous ont appris à respirer avec l'abdomen, qui s'élève et s'abaisse à chaque respiration. Cela convient à une inspiration et une expulsion de l'air correctes mais n'est pas approprié pour le Pilates.

La respiration thoracique permet d'utiliser pleinement les poumons, tout en gardant les muscles de l'abdomen contractés.

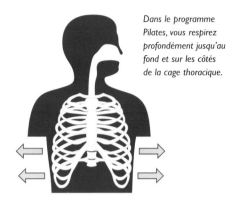

Dans le programme Pilates, vous respirez profondément jusqu'au fond et sur les côtés de la cage thoracique.

Bien respirer selon le Pilates

Joseph Pilates était convaincu qu'un abdomen vigoureux et musclé devait constituer un objectif majeur de sa méthode, car c'est l'abdomen qui donne au corps la stabilité nécessaire à l'exécution de l'entraînement. Pour renforcer l'abdomen, il est nécessaire de contracter les muscles abdominaux. Pour cette raison, Joseph Pilates en conclut que la respiration abdominale ne convenait pas à la bonne exécution de ses exercices. Il décida d'introduire une méthode appelée la « respiration thoracique », connue aussi sous le nom de « respiration latérale ». Elle consiste à gonfler les côtes de la partie thoracique basse arrière : lorsque l'air pénètre dans les poumons, l'arrière et les côtés de la cage thoracique augmentent de volume, puis se rétractent lorsque l'air est expulsé. De cette façon, l'abdomen peut rester contracté – les muscles abdominaux tendus – sans toutefois empêcher une pleine respiration.

La respiration thoracique

Voici un exercice pour vous aider à respirer selon la méthode Pilates. Ce n'est pas difficile, mais si vous avez pratiqué d'autres méthodes, cela peut prendre un peu de temps pour que vous preniez l'habitude de celle-ci. D'abord, il vous faut un morceau d'étoffe assez long – une serviette ou un grand foulard, par exemple – pour entourer le dessous de votre poitrine, ce qui vous aidera à exécuter les mouvements correctement. Quand cette technique de respiration vous sera devenue naturelle, vous pourrez abandonner la serviette ou le foulard.

1

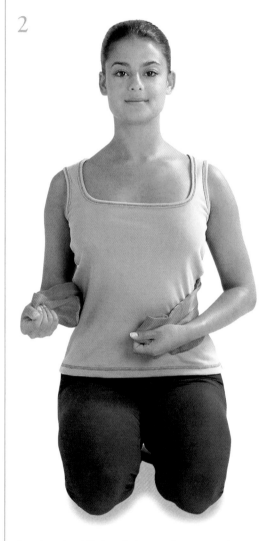

2

Agenouillez-vous au sol. Gardez les orteils serrés mais laissez aller les talons naturellement de côté. Asseyez-vous sur les talons en laissant reposer les fesses dessus. Vous pouvez aussi vous asseoir bien droit sur une chaise, sans vous reposer sur le dossier – redressez-vous bien.

Placez la serviette à l'horizontale dans votre dos et ramenez les extrémités sur le devant. Elle doit vous envelopper le milieu du corps, à la base de la poitrine et de la cage thoracique. relâchez les épaules et laissez les coudes évoluer librement à distance de votre corps.

Conseil

Vous devez n'exhaler qu'une fois le point d'effort atteint. Si vous n'êtes pas sûr de vous, ne retenez pas votre respiration.

Mise en garde

Si vous ne vous sentez pas bien ou pris d'étourdissement pendant l'exercice, arrêtez aussitôt et respirez normalement.

3

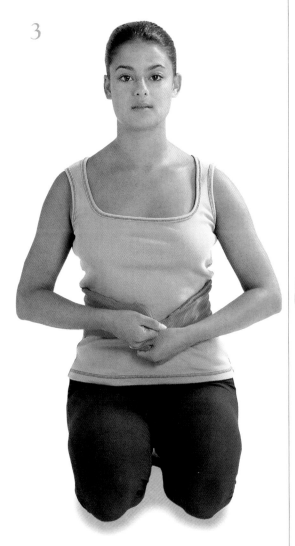

4

Tirer les mains ensemble pour serrer plus fermement la serviette. Éventuellement, faites se croiser vos mains devant vous pour assurer une bonne tension – sans toutefois tirer exagérément : la serviette ne doit pas vous comprimer au point de devenir gênante.

Inspirez lentement et profondément et sentez l'arrière et les côtés de la cage thoracique pousser contre la serviette. Desserrez en maintenant une certaine résistance. Resserrez de nouveau légèrement pour bien vider les poumons. Répétez huit à dix fois l'exercice et relaxez-vous.

Centrer le corps

Joseph Pilates était convaincu que la zone qui va de la ceinture abdominale au bas du dos constitue le centre du corps. Imaginez ce centre comme un cercle qui entoure le corps. Il appela « centre d'énergie » cette zone et conçut ses exercices de telle sorte que l'énergie et l'effort rayonnent depuis le centre du corps.

Pilates n'était pas le seul à penser que la zone abdominale est à l'origine de la force physique. Dans de nombreuses disciplines orientales, la source de la santé, de l'énergie et de la force est réputée siéger à cet endroit. Des techniques asiatiques, comme la médecine traditionnelle chinoise, le tai-chi chuan et le kung-fu enseignent que la réserve de *ch'i* (l'énergie vitale) est située dans le *tan tien*, qui n'est autre que la zone abdominale. Pour des mouvements physiques tels que les coups de poing, l'énergie est produite par l'abdomen et diffusée dans les bras pour donner la force nécessaire au mouvement. De même, les coups de pieds puissants qui caractérisent le kung-fu sont générés depuis l'abdomen et les hanches.

Comme Joseph Pilates, les adeptes du tai-chi chuan pensent que la zone abdominale est le centre du mouvement et de l'énergie.

Les pouvoirs du centre d'énergie

Pensez à votre centre d'énergie comme au centre de votre corps, d'où rayonnent toute énergie et tout mouvement. Quand le centre d'énergie est renforcé, les effets peuvent être très bénéfiques. Le centre d'énergie a plusieurs fonctions :

- il supporte la colonne vertébrale
- il assure la stabilité du centre du corps
- il améliore l'équilibre
- il favorise la coordination et rend les gestes plus doux, les mouvements plus fluides
- il protège le bas du dos
- il tonifie la ceinture abdominale et les muscles pelviens
- il augmente la force physique

Renforcer
le centre d'énergie

Pour renforcer votre propre centre d'énergie,
essayez l'exercice suivant. Vous pouvez
l'exécuter debout, assis ou allongé.

Note

Une fois que vous maîtriserez cet exercice,
vous pourrez pratiquer la respiration
thoracique (*voir* page 24) avec un centre
d'énergie plus fort.

1

Assurez-vous que les vêtements que vous portez sont assez amples
pour ne pas vous comprimer, surtout autour de la taille, afin que vous
vous sentiez bien à l'aise.

2

Concentrez-vous sur votre nombril. Avec vos abdominaux, attirez-le vers
votre colonne vertébrale et tenez la position. Ne bloquez pas votre
respiration. Vous devez pouvoir respirer régulièrement pendant que vous
rentrez votre nombril. Si vous n'inspirez pas assez d'air, c'est que vous
n'utilisez pas les bons muscles. Relâchez l'effort et recommencez.

3

Quand vous aurez trouvé les bons muscles à faire travailler, vous
pourrez commencer à tonifier votre plancher pelvien : pendant que
vous rentrez votre nombril, remontez doucement votre plancher pelvien.
Maintenez l'effort sur ces deux points aussi longtemps que possible et
relâchez l'effort en même temps. Respirez toujours régulièrement.

4

Lorsque vous vous serez habitué à ces mouvements, tenez-les aussi
longtemps que vous pouvez. Vous éprouverez le besoin de relâcher un
peu la tension, mais pas complètement, de sorte que maintiendrez la
position plus longtemps, tout en respirant avec aisance. Ne rentrez votre
nombril et sur votre plancher pelvien qu'à un quart de la tension, vous
pourrez ainsi augmenter votre temps de résistance à l'effort.

L'importance d'une bonne posture

Une bonne posture est essentielle dans la vie quotidienne. Elle influence notre santé et le fonctionnement de notre organisme, notre allure, notre équilibre, nos mouvements et notre physionomie. Elle peut même agir sur notre humeur et nos émotions.

Beaucoup de gens accordent peu d'intérêt à la façon dont ils se tiennent jusqu'à ce qu'une douleur ou un problème de santé les y contraignent. Un peu de persévérance suffit à éviter la plupart des problèmes de posture. Voici quelques-uns des inconvénients entraînés par de mauvaises postures :

- mauvaise circulation
- douleurs (cou et dos)
- fatigue musculaire
- tension et stress
- maux de tête
- fatigue
- problèmes digestifs
- mauvaise tonicité musculaire
- désordres de l'équilibre et de la coordination
- fragilité
- articulations douloureuses

Notre façon de nous tenir et notre corps

Au fil des années, nos activités et notre mode de vie nous conduisent à adopter certaines postures plus que d'autres. Si nous ne savons pas que telle posture est mauvaise, nous allons la prendre jusqu'à ce qu'elle devienne une habitude. Avec le temps, les formes du corps se « moulent » dans les postures familières, quelles qu'elles soient. Si, debout ou assis, on s'avachit, le corps va bientôt prendre cette forme, ou compenser le stress exercé sur certaines de ses parties par le développement excessif d'autres : les épaules peuvent se voûter, par exemple, ou le ventre faire saillie. À partir de ce moment, toute tentative de s'asseoir ou de se tenir debout correctement sera source d'inconfort, parce que la structure du corps elle-même aura commencé à épouser la mauvaise posture.

En atteignant l'âge adulte, beaucoup d'entre nous ont commencé à développer des problèmes dus à la posture, particulièrement ceux qui touchent la colonne vertébrale. Poursuivre dans cette voie, c'est aller au-devant de beaucoup de souffrances.

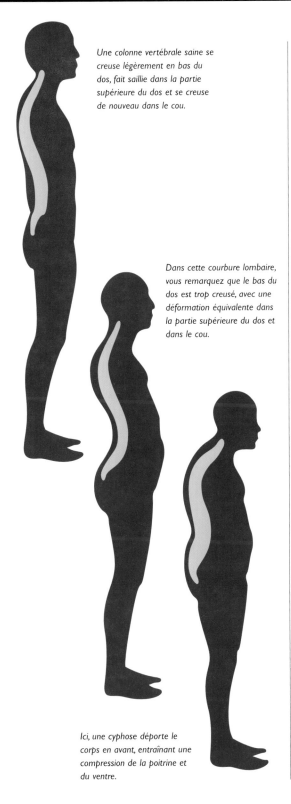

Une colonne vertébrale saine se creuse légèrement en bas du dos, fait saillie dans la partie supérieure du dos et se creuse de nouveau dans le cou.

Dans cette courbure lombaire, vous remarquez que le bas du dos est trop creusé, avec une déformation équivalente dans la partie supérieure du dos et dans le cou.

Ici, une cyphose déporte le corps en avant, entraînant une compression de la poitrine et du ventre.

Problèmes vertébraux dus à une mauvaise posture

L'un des principaux problèmes vertébraux est l'hyperlordose lombaire. Une mauvaise posture affaiblit les abdominaux, repoussant le ventre et créant une courbure anormale dans le bas du dos ; ce qui entraîne faiblesse et douleurs. Le ventre et la tête sont déportés vers l'avant, le haut du dos et le cou fatiguent. La circulation et les fonctions digestives sont entravées.

Dans l'hyperlordose cervicale, les muscles de l'arrière du cou se contractent tandis que ceux de devant se développent et que le menton avance. Il peut en résulter une inflammation articulaire allant jusqu'à l'arthrite. Un autre problème vertébral, la cyphose, entraîne une convexité excessive de la colonne qui conduit à ce que le dos se voûte. Cette déformation influe sur le cœur, gêne la respiration et fait pression sur l'estomac et les intestins, générant des problèmes de digestion.

Parmi les autres problèmes vertébraux, le blocage des vertèbres dorsales, dû à la contraction des muscles : le swayback, où les vertèbres dorsales sont déformées et les muscles affaiblis ; et la splanchnoptose qui affecte les viscères abdominaux.

À la longue, s'asseoir mal entraîne des déformations de la colonne vertébrale..

Corriger sa mauvaise posture

Tout n'est jamais perdu. Corriger ses mauvaises postures est parfaitement possible, mais cela demande de la patience et du temps pour devenir naturel et qu'on se sente à l'aise. Certaines postures peuvent être abandonnées rapidement, mais d'autres, fixées par des années d'inattention, exigeront plus de persévérance. Le profit de la bonne posture compense largement l'effort consenti. Voici quelques-uns des bénéfices à tirer d'un travail personnel pour corriger votre posture :

- muscles plus forts
- meilleur fonctionnement du cœur et de l'estomac
- équilibre et coordination améliorés
- mouvements plus fluides
- circulation plus efficace, ce qui signifie que les nutriments sont acheminés plus efficacement dans tout l'organisme, contribuant à une meilleure santé, une énergie accrue et une allure plus dynamique
- système immunitaire plus réactif contre la maladie

Comment contrôler sa posture

Il peut se révéler difficile de savoir si, assis ou debout, votre posture est mauvaise. Une façon efficace de tester votre posture est de demander à quelqu'un de prendre deux photos de vous, de profil : l'une debout, l'autre assis. Essayez de ne pas modifier vos habitudes devant l'objectif : prenez la position que vous adoptez en temps normal – celle dans laquelle vous vous sentez à l'aise et qui vous est naturelle. Regardez attentivement les clichés pour y chercher les indices révélateurs de mauvaises habitudes posturales. Voici quelques-uns des signes les plus évidents à repérer :

Debout
Haut du dos voûté
Ventre proéminent
Tête ou menton déportés vers l'avant
Dos rond

Assis
Avachissement
Épaules affaissées
Poitrine comprimée
Bas du dos arrondi vers l'extérieur et abdomen comprimé

Il peut aussi s'avérer utile de passer mentalement votre corps au « scanner » quand vous êtes assis devant votre bureau ou debout devant l'évier de la cuisine. Procédez du sommet de la tête au bout des pieds en essayant de cheminer à travers vos muscles et vos articulations. Est-ce qu'une partie de votre corps souffre d'être comprimée ou distendue ? Ressentez-vous quelque douleur, ankylose ou gêne ? Ces symptômes vous révèlent que votre posture n'est pas bonne. Si vous pensez que votre posture, pour une raison ou une autre, n'est pas correcte (et c'est probablement le cas), il faut consulter un professeur de Pilates ou un physiothérapeute dès que possible, avant que vous ne rencontriez d'autres problèmes.

Une photographie de vous peut vous donner des renseignements essentiels sur votre posture.

Ce que peut le Pilates

Le Pilates peut vous aider à trouver les postures les plus efficaces et les plus confortables, que vous soyez assis, debout ou allongé. Les bonnes postures donneront un bon rendement à vos exercices, vous vous sentirez moins fatigué car la pression sera moindre sur les muscles et sur l'organisme. Vous respirerez plus facilement, vous vous sentirez revigoré et détendu. Les exercices que nous allons détailler mettent en cause la façon de s'asseoir, de se tenir debout et de s'allonger. Avant de commencer chaque série d'exercices, vous trouverez des conseils précis pour vous aider à trouver la bonne posture.

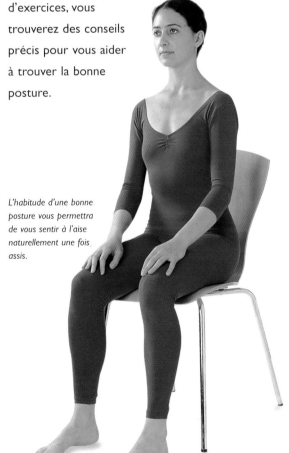

L'habitude d'une bonne posture vous permettra de vous sentir à l'aise naturellement une fois assis.

Corps et mouvement

Apprendre à bien faire chaque geste à la bonne allure est une part très importante du programme Pilates. Des mouvements corrects et une bonne coordination vous permettront de tirer le meilleur parti des exercices et vous éviteront de vous faire mal.

Le besoin de se détendre

L'être humain a tendance à effectuer des mouvements brefs et brusques, qui paraissent très saccadés en regard de ceux d'animaux plus gracieux tels les chats. C'est parce que l'homme est le plus souvent tendu quand il bouge, alors que le chat est naturellement décontracté.

Une tension excessive limite le mouvement et expose le corps à des risques de faux mouvement. Quand nous sommes tendus, nous avons besoin de plus d'énergie pour agir. Cette dépense énergétique entraîne un surcroît de fatigue et exerce sur l'organisme une pression inutile. Nous devons être économes de notre énergie et ne pas la dilapider sans raison.

C'est pourquoi vous devez vous habituer à vous détendre tout en bougeant. Interrogez votre corps avant, pendant et après chaque mouvement, afin de faire échec à la tension.

Les mouvements du Pilates

Contrairement à beaucoup d'autres méthodes, le Pilates ne vous fait pas faire de pause après chaque séquence. Le mouvement est continu, de sorte qu'une séquence se fond de façon naturelle dans la suivante, sans rupture. Dans le Pilates, les seules pauses interviennent en fin d'exercice.

Ralentir l'exécution des mouvement rend ceux-ci plus difficiles mais plus efficaces. À titre de démonstration, essayez d'exécuter l'exercice suivant.

Les exercices du Pilates permettent de développer une bonne coordination et de prendre l'habitude de faire des mouvements doux et fluides.

Soulever la tête

Veillez à rester aussi détendu que possible pendant cet exercice. Utilisez un tapis ou une descente de lit épais pour protéger votre tête et votre colonne vertébrale. Évitez de faire cette exercice si vous avez un problème de cervicales ou mal dans le cou.

Si vous avez fait cet exercice correctement, les muscles du cou seront plus fatigués à la fin de l'étape 3 qu'après l'étape 2, car soulever et repose la tête lentement exige plus d'effort. C'est ainsi que procèdent les exercices du Pilates : utiliser les mouvement les plus lents pour en tirer le meilleur bénéfice.

1

Allongez-vous au sol, les jambes parallèles, les genoux pliés et les bras le long du corps. Assurez-vous que la tête et le cou sont droits et alignés. Disposez une serviette pliée sous votre tête, cela facilitera cet exercice.

2

Soulevez la tête de 5 à 6 cm et reposez-la doucement. Répétez quatre fois ce mouvement, ce qui vous prendra de 5 à 8 secondes. Ne bloquez pas votre respiration et ne faites pas de mouvements brusques. Comment sentez-vous les muscles du cou ? Soufflez un peu.

3

Refaites de nouveau cinq fois ce mouvement, plus lentement : comptez cinq secondes pour soulever la tête et cinq autres secondes pour la reposer tout aussi lentement. Videz vos poumons tout en soulevant la tête, remplissez-les en la reposant. Et maintenant, comment sentez-vous les muscles du cou ?

CHAPITRE 3: LA PRATIQUE DU PILATES

L'art du mouvement

Les exercices du Pilates sont nombreux et variés – trop nombreux pour être tous présentés ici. Vous allez découvrir dans les pages qui suivent une sélection d'exercices de base. Pour aller plus loin, nous vous recommandons de trouver un professeur qualifié de Pilates qui vous proposera un programme adapté à votre corps.

L'échauffement

Avant tout exercice de remise en forme ou d'entraînement physique, vous devez échauffer votre corps. Que vous comptiez faire une très courte séance de dix minutes ou un programme plus long, vous devez vous échauffer avant de commencer. Lorsque les muscles sont froids, ils ont tendance à se crisper, et vous pouvez vous faire mal.

Comment s'échauffer

Vous pouvez utiliser différentes méthodes d'échauffement. Par exemple, vous pouvez sautiller sur place ou bien aller marcher dehors d'un bon pas pour vous mettre en train. Des gestes un peu alertes favoriseront toujours la circulation et prépareront le corps à l'effort. N'essayez jamais d'échauffer le corps « artificiellement » en vous mettant près du feu ou de toute autre source de chaleur, parce que le corps deviendrait alors trop chaud.

Vous pouvez également faire quelques exercice d'échauffement pour activer la circulation. En voici quelques-uns, assez simples pour commencer.

Balancements des bras

Faites cet exercice doucement, avec des mouvements lents et réguliers.

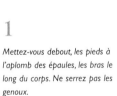

1

Mettez-vous debout, les pieds à l'aplomb des épaules, les bras le long du corps. Ne serrez pas les genoux.

Conseil

Pensez à boire beaucoup d'eau pendant la journée afin d'éviter de vous déshydrater lorsque vous faites les exercices.

3

En gardant vos abdominaux rentrés, expirez et
balancez vos bras en arrière de vos genoux,
cela en courbant votre corps. Ne laissez pas
pendre vos bras, vos mouvement doivent être
lents, réguliers et fluides.

2

Levez lentement les bras
et tendez-les au-dessus
de votre tête. En même
temps, rentrez vos
muscles abdominaux et
inspirez selon la
respiration thoracique
(voir page 24).

4

Inspirez tout en ramenant vos bras au-
dessus de la tête, tout en déployant votre
corps. Redressez votre corps et vos bras.
Continuez à rentrer les abdominaux pendant
tout le mouvement. Ne vous arrêtez pas
entre deux séquences et pensez que chaque
mouvement doit se fondre avec le suivant.
Répétez cet exercice dix fois.

Petits cercles

Excellent exercice pour stimuler le rythme cardiaque et la circulation. Ne laissez pas vos bras pendre et contrôlez vos mouvements.

1

Mettez-vous debout, les pieds à l'aplomb des épaules, les bras le long du corps. Vos jambes doivent être bien droites mais vos genoux ne doivent pas être serrés. Rentrez les abdominaux.

2

Écartez les bras à environ 45 degrés par rapport à votre corps. Tout en expirant, montez lentement les bras devant vous en décrivant un cercle, jusqu'à la position haute.

3

Inspirez tandis que vos bras redescendent en arrière et achèvent le cercle, toujours à 45 degrés. Vos mouvements sont fluides. Gardez la tête et la colonne alignées, ne vous penchez pas en avant ni en arrière. Gardez les abdominaux rentrés et pratiquez la respiration thoracique (voir page 24). Répétez l'exercice dix fois, avec les mêmes cercles.

Grands cercles

Cet exercice ressemble beaucoup au précédent, mais les mouvements sont plus larges – et toujours aussi lents et fluides.

1

Mettez-vous debout, les pieds à l'aplomb des épaules, les bras le long du corps. De nouveau, assurez-vous que vos jambes sont être bien droites mais vos genoux ne sont pas serrés. Rentrez les abdominaux.

2

Respirez et levez les bras vers l'avant dans un grand cercle que vous faites monter au-dessus de votre tête. Laissez vos main se toucher pendant que vous inspirez puis laissez vos bras redescendre en arrière, le long du corps, pour achever le cercle. Contrôlez vos mouvements, maintenez la tête et la colonne alignées. Ne vous penchez pas. Pratiquez la respiration thoracique (voir page 24). Répétez l'exercice dix fois, avec les mêmes cercles.

Cercles progressifs

Cet exercice est semblable aux précédents si ce n'est que les mouvements sont en sens inverse et commencent par de petits cerceaux pour aller peu à peu vers les plus grands. De nouveau, faites ces mouvements lentement et avec douceur.

1

Mettez-vous debout, les pieds à l'aplomb des épaules, les bras le long du corps. De nouveau, assurez-vous que vos jambes sont être bien droites mais vos genoux ne sont pas serrés. Rentrez les abdominaux.

2

Écartez les bras à environ 45 degrés par rapport à votre corps. Tout en expirant, montez lentement les bras par derrière vous en décrivant un cercle, jusqu'à la position haute, inspirez ensuite tout en laissant vos bras redescendre en avant à environ 45 degrés par rapport à votre corps. Gardez la tête et la colonne alignées et ne vous penchez pas. Pratiquez la respiration thoracique (voir page 24).

3

Faites d'autres cercles, mais à chaque fois que vos bras atteignent la position basse, faites-les venir de plus en plus près du corps. Continuez à faire des cercles jusqu'à ce que vos bras touchent presque votre corps lorsqu'ils passent au point le plus bas.

4

Vous allez constater que les cercles sont de plus en plus larges. Pensez à contrôler vos mouvements et à les rendre fluides : ne laissez pas pendre vos bras en position basse. Gardez la tête et la colonne alignée et essayez de ne pas vous pencher. Gardez les abdominaux rentrés et pratiquez la respiration thoracique pendant tout l'exercice (voir page 24). Répétez celui-ci jusqu'à ce que vous ayez fait 20 cercles, en veillant à la régularité du mouvement.

Élévations latérales

Cet exercice vous aide à améliorer votre posture debout en vous incitant à trouver la bonne position pour les omoplates. Il fait également travailler les muscles des bras. Il peut d'abord passer pour un exercice très lent et paisible mais, comme pour tous les exercices du Pilates, il est très efficace. Veillez toujours à ce que vos mouvements restent réguliers et fluides pendant tout la durée de l'exercice.

Mise en garde

Abstenez-vous de faire cet exercice si vos épaules sont faibles ou en mauvais état. Si vous avez un doute, sollicitez au préalable un avis médical.

1

Mettez-vous debout, très droit, les pieds à l'aplomb des épaules. Votre poids doit être réparti de façon homogène sur vos pieds et vos genoux non serrés. Rentrez le nombril et soulevez le plancher pelvien jusqu'à un quart de la tension. Laissez le bas de votre colonne vertébrale « tomber » sans pousser sur le plancher pelvien. Le cou et la colonne doivent être alignés et les mains reposer sur l'extérieur des cuisses.

2

Expirez tout en élevant le bras droit en travers de la poitrine jusqu'à ce que la paume droite repose sur le dessus de l'épaule gauche. La main gauche reste alors le long de la cuisse gauche. Veillez à respirer régulièrement en utilisant la respiration thoracique (voir page 24) et à maintenir concentré votre centre d'énergie grâce à la tension du nombril et du plancher pelvien (voir page 27).

Conseil

Expirez toujours quand le point d'effort est
atteint, inspirez une fois que vous avez
récupéré.

3

*Inspirez. Tout en expirant, élevez
le bras gauche jusqu'à la
hauteur de l'épaule, la paume
tournée vers le haut. Gardez le
bras tendu mais détendez-vous
et ne bloquez pas l'épaule. Les
omoplates doivent être en
position basse.*

5

*Une fois l'exercice terminé,
changez de bras : la paume
gauche vient reposer sur le
dessus de l'épaule droite. Élevez
et rabaissez le bras droit dix fois
très lentement.*

4

*Quand le bras gauche est aligné
avec l'épaule gauche, ne
maintenez pas cette position
mais inspirez et rebaissez
lentement le bras jusqu'à ce
que la paume de la main touche
le côté de la cuisse gauche.
Le mouvement doit être lent,
régulier et fluide. Répétez cet
exercice, en élevant et en
rabaissant le bras dix fois, sans
marquer de pause entre chaque
séquence. L'exercice doit former
un seul et même mouvement
continu.*

Flexions des genoux et élévations des bras

Cet exercice est relaxant et pourtant tonifiant, car il facilite la circulation. Il permet également d'améliorer l'équilibre et la stabilité générale, tout en accroissant votre coordination.

Mise en garde

Ne faites pas cet exercice si vos genoux ou vos épaules sont faibles ou en mauvais état. Si vous avez un doute sur la pertinence de cet exercice dans votre cas, sollicitez au préalable un avis médical.

1

Mettez-vous debout, très droit, les pieds à l'aplomb des épaules. Votre poids doit être réparti de façon homogène sur vos pieds et vos genoux non serrés. Rentrez le nombril et soulevez le plancher pelvien jusqu'à un quart de la tension. Laissez le bas de votre colonne vertébrale « tomber » sans pousser sur le plancher pelvien. Le cou et la colonne doivent être alignés et les mains reposer sur l'extérieur des cuisses.

2

Inspirez, puis tout en expirant élevez très lentement les bras devant vous jusqu'à hauteur des épaules. Les paumes se font face. Gardez les bras tendus mais ne bloquez pas les coudes. En même temps, pliez les genoux lentement à environ 45 degrés. Continuez à bien répartir votre poids sur les pieds et ne vous balancez pas en avant ou en arrière. N'oubliez pas de pratiquer la respiration thoracique (voir page 24).

Conseil

N'oubliez pas de rentrer votre nombril vers votre colonne vertébrale pendant tout l'exercice. Cela vous protégera le dos et vous maintiendra dans une posture correcte et tonique.

3

Quand les bras sont parvenus à hauteur des épaules, inspirez tout en abaissant lentement les bras jusqu'à ce que les paumes touchent l'extérieur des cuisses. En même temps, redressez les jambes jusqu'à ce que vous soyez droit debout, mais sans bloquer les genoux. Ce mouvement doit rester lent, fluide et régulier.

4

Répétez cet exercice dix fois en élevant et abaissant les bras, tout en fléchissant et en redressant les genoux, sans marquer de pause entre chaque séquence. L'exercice doit former un seul et même mouvement continu. À la fin de l'exercice, récupérez pendant une minute environ.

Étirement de la poitrine

L'étirement de la poitrine contribue à développer la stabilité et la bonne posture tout en rendant le mouvement plus fluide et en favorisant la coordination. Il étire et tonifie la poitrine, les épaules et les bras sans violence. Vous aurez besoin d'une corde ou d'un long morceau de tissu, un foulard par exemple. Vous pouvez alterner avec un manche à balai ou tout autre bâton léger. Respirez toujours régulièrement selon la méthode de la respiration thoracique (*voir* page 24).

Mise en garde

Abstenez-vous de faire cet exercice si vous avez les épaules ou les muscles du cou faibles ou en mauvais état. Si vous avez un doute sur la pertinence de cet exercice, sollicitez au préalable un avis médical.

1

Mettez-vous debout, bien droit, les pieds à l'aplomb des épaules. Votre poids doit être réparti de façon homogène, les jambes droites, les genoux non serrés. Maintenez votre centre d'énergie renforcé (voir page 27) et conservez le cou et la colonne vertébrale alignés. Tenez le foulard ou le bâton devant vous en travers des cuisses, les mains à l'aplomb des épaules, les paumes tournées vers les cuisses.

2

Inspirez puis, tout en expirant très lentement, élevez le bâton au-dessus de la tête. Tendez bien les bras mais ne bloquez pas les coudes. Gardez les épaules en position basse sans tension. Veillez à ce que votre dos ne se cambre pas tandis que vous levez les bras. Rentrez les muscles pelviens, ce qui protégera le bas de votre dos pendant que vous levez les bras.

3

Quand vous avez étiré les bras au-dessus de la tête aussi loin qu'ils peuvent aller sans forcer, inspirez et abaissez lentement les bras jusqu'à ce qu'ils touchent de nouveau les cuisses. Ne laissez pas pendre vos bras, vos mouvements doivent être lents, fluides et réguliers. Répétez l'exercice dix fois, sans marquer de pause.

Relâchement de la colonne

Cet exercice est très efficace pour relâcher la tension, améliorer la circulation et augmenter la flexibilité de la colonne vertébrale. Essayez de le reprendre à la fin de votre entraînement car il est très relaxant et vous aidera à vous libérer le corps des dernières tensions.

2

Expirez et, très lentement, laissez votre menton s'affaisser vers les clavicules. Le mouvement doit être fluide et régulier, ne laissez pas le menton retomber d'un coup. Poursuivez le mouvement avec lenteur, en laissant les épaules se décoller du mur, puis le corps rouler doucement vers l'avant, se ployer à partir des épaules puis de la taille. Penchez-vous ainsi le plus que vous pouvez, tout en gardant les fesses en contact avec le mur. Laisser aller la tête et les bras vers le bas.

1

Mettez-vous debout, bien droit, le dos contre un mur, les pieds à l'aplomb des épaules. Votre poids doit être réparti de façon homogène, les jambes droites, les genoux non serrés. Rentrez votre nombril vers votre colonne vertébrale et tirez vers le haut votre plancher pelvien jusqu'à environ 25 % de la tension. Laisser le bas de votre colonne « tomber » sans pousser sur le plancher pelvien. Votre cou et votre colonne doivent être alignés. Si vous le pouvez, gardez les épaules au contact du mur ou rapprochez-les le plus possible, sans forcer. Vos talons doivent être proches du mur mais sans toucher celui-ci. Votre corps doit être bien droit – si vos talons sont trop près ou trop loin du mur, votre corps va se cambrer. Laissez pendre les bras, les mains reposant sur l'extérieur des cuisses. Pratiquez la respiration thoracique (voir page 24).

3

Quand vous vous êtes ainsi plié aussi loin que possible sans forcer, inspirez tout en vous redressant lentement, repliant le corps peu à peu. L'ensemble du mouvement doit rester lent et fluide. Quand vous avez retrouvé la position initiale, prenez un instant pour contrôler votre posture (voir l'étape 1) et répétez six fois l'exercice.

Mise en garde

Ne tentez pas de faire cet exercice si vous avez une tension faible ou élevée. Si vous ressentez douleur, fourmillement ou étourdissement, arrêtez et demandez un avis médical.

Exercices assis

Dans cette partie, nous allons découvrir plusieurs exercices que vous pouvez faire assis. Encore une fois, la bonne posture est essentielle. Correctement pratiqués, ces exercices aideront votre organisme à fonctionner plus efficacement, ce qui entraînera une amélioration de votre santé et stimulera votre sens du bien-être.

Apprendre à s'asseoir correctement

Vous pouvez mettre en œuvre la bonne posture en toutes occasions, pendant vos déplacements comme au travail. Si vous passez des heures assis devant un ordinateur ou une caisse enregistreuse, profitez-en pour prendre les bonnes habitudes. De même lorsque vous regardez la télévision, lorsque vous êtes au restaurant ou au théâtre. À la longue, vous asseoir correctement deviendra naturel.

La bonne posture assise selon le Pilates

Adopter la bonne posture assise n'est pas difficile. Mais si vous avez pris de mauvaises habitudes, comme de vous affaisser sur votre siège, cela peut exiger un certain entraînement.

Conseil

Le bas du dos ne doit pas trop se cambrer, ni en avant, ni en arrière. Asseyez-vous de profil devant un miroir afin de vérifier votre posture.

1

Asseyez-vous en vous tenant droit, le bas du dos calé contre le dossier de la chaise. Ne penchez pas le haut du dos vers l'avant et veillez à ne pas vous affaisser ou à vous pencher. Vous devez bien vous tenir, mais pas non plus « droit comme un i », car vous ne pourrez tenir la position assez longtemps sans éprouver de la gêne.

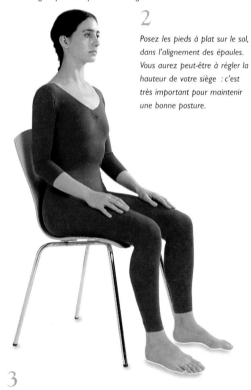

2

Posez les pieds à plat sur le sol, dans l'alignement des épaules. Vous aurez peut-être à régler la hauteur de votre siège : c'est très important pour maintenir une bonne posture.

3

Gardes les omoplates basses, ne forcez pas. Posez les main sur les cuisses et ne vous penchez pas en arrière. La tête, le cou et la colonne vertébrale doivent être alignés, la tête dans l'axe de la colonne. Fortifiez votre centre d'énergie en rentrant votre nombril vers votre colonne et en tirant vers le haut les muscles pelviens jusqu'à 25 % de la tension.

Étirements latéraux

Ces étirement sont excellents pour la mobilité du bas du dos et le tonus de la taille. Utilisez une chaise à dossier droit.

Mise en garde

Ne faites pas cet exercice si vous avez le bas du dos faible ou en mauvais état.

1

Asseyez-vous à califourchon face au dossier. Vérifiez que vous êtes bien droit. Le corps ne doit pas être penché. Posez les paumes sur le rebord du dossier, les bras détendus. Les pieds doivent reposer à plat sur le sol. Rentrez votre nombril vers votre colonne et tirez vers le haut les muscles pelviens jusqu'à environ 25 % de la tension pendant tout l'exercice. Respirez régulièrement en pratiquant la respiration thoracique (voir page 24).

3

Poursuivez l'étirement du côté gauche aussi loin que possible sans forcer, inspirez ensuite en vous redressant lentement, la paume reposée sur le rebord du dossier. Refaites le mouvement de l'autre bras, en vous penchant du côté gauche. Ensuite, répétez dix fois l'exercice.

2

Expirez, étirez votre bras gauche vers la gauche et levez-le jusqu'à la hauteur de l'épaule, la paume tournée vers le haut. Continuez à lever le bras jusqu'au-dessus de la tête, la paume tournée vers vous. En même temps, abaissez l'épaule droite de façon à pencher le buste vers la droite.

Conseil

Souvenez-vous de ne pas marquer de pause entre les séquences mais de maintenir des mouvements lents, réguliers et aussi fluides que possible.

Rotations de la colonne

Cet exercice non violent améliore la flexibilité de la colonne vertébrale, particulièrement dans la région du bas du dos. Utilisez une chaise sans bras pour cet exercice.

1

Asseyez-vous bien droit. Posez les pieds à plat sur le sol, dans l'alignement des épaules et posez les mains sur les cuisses. Attirez votre nombril vers votre colonne et tirez vers le haut les muscles pelviens jusqu'à environ 25 % de la tension pendant tout l'exercice. Respirez régulièrement en pratiquant la respiration thoracique (voir page 24).

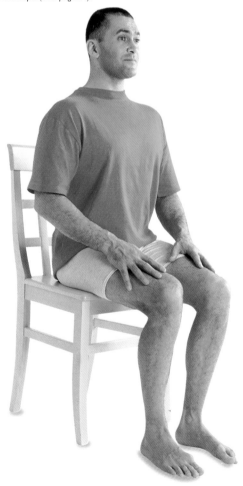

Mise en garde

Ne faites pas cet exercice si vous avez le bas du dos ou le cou faibles ou en mauvais état.

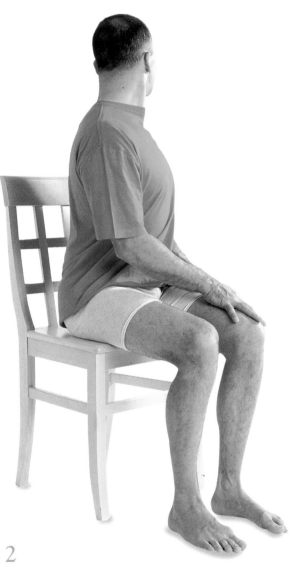

2

Expirez tout en tournant la tête lentement vers la gauche, comme pour regarder par-dessus votre épaule gauche. Pendant que vous vous retournez, laissez votre colonne pivoter. Allez poser la paume de la main droite sur la cuisse gauche, juste à côté de la main gauche.

3

Une fois retourné aussi loin que possible sans forcer, inspirez et retournez-vous pour vous remettre en position droite, en laissant votre tête entraîner votre colonne sans à-coups. En même temps, ramenez votre main droite dans sa position d'origine, de sorte que vous vous trouviez de nouveau le regard tourné droit vers l'avant.

4

Expirez de nouveau et répétez le mouvement de l'autre côté, vers la droite, en laissant votre colonne suivre la rotation de la tête. Posez la paume gauche sur la cuisse droite à côté de la main droite. Après vous être retourné aussi loin que possible sans forcer, inspirez et revenez lentement vers votre position initiale, tout en ramenant la main gauche sur la cuisse gauche. Répétez l'exercice dix fois de chaque côté.

Travail au tapis

La plupart des exercices du système Pilates concernent le travail au tapis, ou exercices au sol. Dans cette partie, vous trouverez quelques exercices à exécuter au sol. Il y en a beaucoup d'autres, et si vous voulez les découvrir, nous vous recommandons de vous adresser à un professeur ou un studio Pilates qualifiés (des adresses et des sites Internet figurent page 63). Quand vous aurez terminé ces exercices, reprenez l'étirement de la colonne (*voir* pages 48-49)pour éliminer toute tension résiduelle.

Équipement

Vous n'avez pas besoin d'un équipement particulier pour ces exercices, mais il vous faut les exécuter sur un tapis bien épais ou une descente de lit afin de protéger votre colonne. À mesure que vous réaliserez des exercices plus exigeants, vous pourrez envisager l'acquisition d'un tapis de gymnastique épais, mais ce n'est pas primordial. Il vous faut également deux petits coussins ou des oreillers, ou encore deux serviettes que vous pouvez plier facilement.

La bonne posture

Adopter et entretenir la bonne posture dans le travail au sol est tout aussi important que dans les exercices debout et assis. cela optimise le fonctionnement de l'organisme, de sorte que vous pouvez retirer le plus grand profit de votre programme d'entraînement. Pour tous les exercices au sol, assurez-vous que votre colonne vertébrale et votre pelvis sont en position « neutre » : les exercices de la page 51 vont justement vous montrer comment y parvenir.

Position neutre de la colonne et du pelvis

Cette méthode va permettre d'adopter la posture la plus relaxante pour la colonne et le pelvis pendant que vous travaillez au sol. Vous aurez besoin d'un petit oreiller ou d'un coussin, ou encore d'une serviette repliée à placer sous votre tête.

Mise en garde

Si vous éprouvez de la gêne ou de la douleur dans le bas du dos en pratiquant cet exercice, cessez immédiatement et sollicitez l'avis d'un médecin ou d'un praticien qualifié dès que possible.

1

Allongez-vous le dos plaqué au sol, la tête sur l'oreiller ou la serviette. Repliez les genoux et posez les pieds à plat, écartés de 25 cm. Posez les paumes à plat, les bras le long du corps.

2

Rentrez votre nombril et tirez votre plancher pelvien vers le haut à un quart de la tension. Respirez régulièrement en pratiquant la respiration thoracique (voir page 24). Poussez doucement le bas du dos vers le sol autant que possible sans forcer. Relâchez l'effort et laissez le dos reprendre une position agréable.

3

Maintenant, creusez le bas du dos en le tirant vers le haut. Ne décollez les fesses ni le haut du dos. Lorsque vous aurez creusé le bas du dos aussi loin que possible sans forcer, laissez-le revenir doucement au sol. La position neutre de la colonne et du pelvis se situe entre ces deux points, le dos ni plaqué excessivement, ni creusé trop haut. Une légère courbure vers le haut est naturelle : elle doit vous permettre de glisser les mains entre le bas du dos et le sol. Continuez à tirer sur les abdominaux. Vous devez maintenir cette posture neutre de la colonne et du pelvis pour pratiquer les exercices au sol.

Rotations des lombaires

Ces étirements lombaires pour accroître la mobilité de la colonne vertébrale et pour recentrer et renforcer votre centre d'énergie. Vous avez besoin d'un petit oreiller ou d'une serviette repliée à placer sous votre tête pour cet exercice.

Mise en garde

Ne creusez pas le dos de façon excessive, et n'oubliez pas de tirer les abdominaux vers la colonne vertébrale.

1

Allongez-vous sur le dos, la tête sur l'oreiller ou la serviette. Repliez les genoux et posez les pieds à plat, écartés de 25 cm. Écartez les bras à angle droit du corps, les paumes tournées vers le haut. Ne bloquez pas vos coudes.

2

Rentrez votre nombril et tirez votre plancher pelvien vers le haut. Tenez cette position puis relâchez-la légèrement jusqu'à environ 25 % de la tension. Respirez régulièrement en pratiquant la respiration thoracique (voir page 24). N'oubliez pas non plus de maintenir la colonne et le pelvis en position neutre (voir page 51).

3

Expirez tout en tournant lentement la tête vers la droite jusqu'à ce que votre jour touche l'oreiller ou la serviette. En même temps, tournez très lentement les genoux vers la gauche et guidez-les doucement vers le sol. S'ils ne peuvent toucher le sol, ne vous inquiétez pas, faites-les aller aussi loin que possible sans forcer.

4

Inspirez tout en ramenant les genoux à leur position initiale. En même temps, redressez la tête, les yeux tournés vers le plafond.

5

Expirez maintenant en tournant la tête lentement vers la gauche jusqu'à ce que votre joue touche l'oreiller ou la serviette. En même temps, tournez très lentement les genoux vers la droite et guidez-les doucement vers le sol aussi loin que possible sans forcer.

6

Inspirez en ramenant les genoux à leur position initiale. En même temps, redressez la tête, les yeux tournés vers le plafond. Répétez cet exercice dix fois de chaque côté.

Conseil

Pensez à bien contrôler vos mouvements. Ne laissez pas vos genoux retomber sur le sol. Baissez-les aussi lentement que possible.

Étirements de la poitrine

Cet exercice permet d'étirer les muscles de la poitrine et du cou et de tonifier le haut du dos et la colonne vertébrale. Vous aurez besoin de deux petits oreillers ou de coussins, ou encore de serviettes repliées.

Mise en garde

Ne faites pas cet exercice si vous avez le cou ou le dos faibles ou des problèmes dans cette région.

1

Allongez-vous sur le dos, la tête sur un oreiller ou une serviette. Repliez les genoux et posez les pieds à plat, écartés de 25 cm. Placez un oreiller ou une serviette entre vos genoux. Écartez les bras à angle droit, paumes tournées vers le haut.

2

Rentrez votre nombril et tirez votre plancher pelvien vers le haut. Tenez cette position puis relâchez-la légèrement jusqu'à environ 25 % de la tension. Respirez régulièrement en pratiquant la respiration thoracique (voir page 24). N'oubliez pas non plus de maintenir la colonne et le pelvis en position neutre (voir page 51).

3

Expirez tout en tournant le corps lentement vers la droite jusqu'à ce que la joue touche l'oreiller ou la serviette et que votre genou droit touche le sol. Lentement, soulevez le bras gauche et déplacez-le vers la droite jusque sur le bras droit, dans l'alignement de l'épaule droite. Les bras doivent être droits mais sans bloquer les coudes. Restez ainsi couché sur le côté droit, les genoux repliés.

4

Inspirez et levez lentement le bras gauche en l'étirant derrière vous, dans l'alignement de l'épaule gauche. Tournez la tête vers la gauche pour augmenter l'étirement, mais ne changez pas la position des genoux. Vous devez ressentir alors l'étirement dans la partie supérieure de votre corps, depuis la taille. Expirez à présent et ramenez le bras gauche sur la droite pour le faire de nouveau reposer sur le bras droit. En même temps, faites pivoter la tête vers la droite. Vous devez vous retrouver ainsi couché sur le côté droit, les genoux repliés. Répétez dix fois cet exercice au total.

Conseil

Ne faites pas retomber lourdement les bras ou les genoux. Abaissez-les aussi lentement que possible pour tirer le meilleur parti de ces exercices.

5

Répétez l'exercice en tournant cette fois le corps vers la gauche, en levant la main droite pour la déplacer à gauche. Vous reposez du côté gauche, genoux repliés et bras tendus dans l'alignement de l'épaule.

6

Inspirez et levez lentement le bras droit, que vous tendez derrière vous dans l'alignement de l'épaule. Tournez la tête vers la droite pour augmenter l'étirement mais sans bouger les genoux. Expirez à présent et levez le bras droit pour le ramener vers la gauche pour le faire de nouveau reposer sur le bras gauche. En même temps, faites pivoter la tête vers la gauche. Vous devez vous retrouver ainsi couché sur le côté gauche, les genoux repliés. Répétez l'exercice dix fois de ce côté.

Le dos crawlé

Cet exercice développe la coordination
musculaire et permet un bon étirement des
muscles des jambes, des bras et du ventre.
Vous avez besoin d'un petit oreiller, d'un
coussin ou d'une serviette repliée.

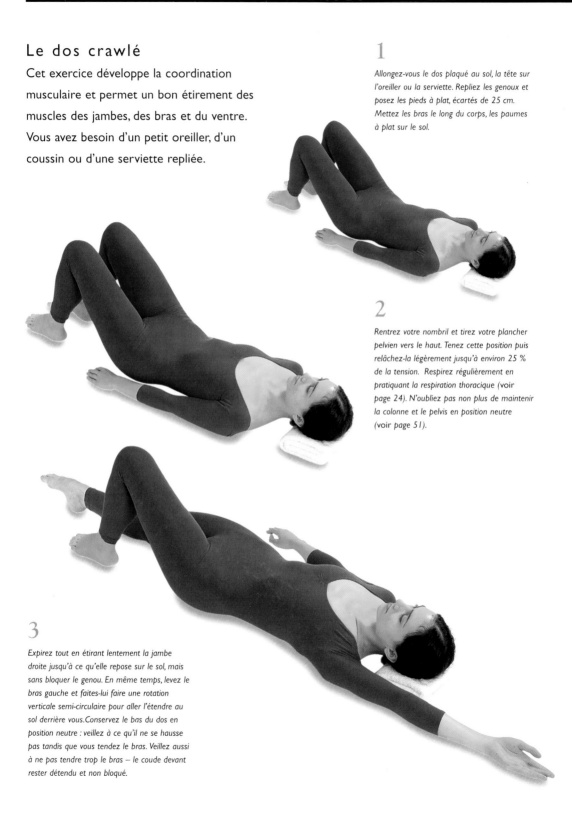

1

*Allongez-vous le dos plaqué au sol, la tête sur
l'oreiller ou la serviette. Repliez les genoux et
posez les pieds à plat, écartés de 25 cm.
Mettez les bras le long du corps, les paumes
à plat sur le sol.*

2

*Rentrez votre nombril et tirez votre plancher
pelvien vers le haut. Tenez cette position puis
relâchez-la légèrement jusqu'à environ 25 %
de la tension. Respirez régulièrement en
pratiquant la respiration thoracique (voir
page 24). N'oubliez pas non plus de maintenir
la colonne et le pelvis en position neutre
(voir page 51).*

3

*Expirez tout en étirant lentement la jambe
droite jusqu'à ce qu'elle repose sur le sol, mais
sans bloquer le genou. En même temps, levez le
bras gauche et faites-lui faire une rotation
verticale semi-circulaire pour aller l'étendre au
sol derrière vous. Conservez le bas du dos en
position neutre : veillez à ce qu'il ne se hausse
pas tandis que vous tendez le bras. Veillez aussi
à ne pas tendre trop le bras – le coude devant
rester détendu et non bloqué.*

4

Une fois que vous avez étendu le bras aussi loin que possible sans forcer, inspirez et relevez le bras gauche pour lui faire refaire en sens inverse sa rotation semi-circulaire et venir le poser le long du corps, la paume à plat sur le sol. En même temps, ramenez votre jambe droite à sa position initiale, le genou replié, le pied à plat sur le sol.

Conseil

Gardez la tête dans l'axe sans la laisser se pencher sur le côté pendant cet exercice. Pour cela, gardez les yeux fixés sur le plafond tout en exécutant les mouvements.

5

Répétez les mouvements des étapes 3 et 4 mais en bougeant cette fois la jambe gauche et le bras droit. Répétez ensuite l'exercice entier, de l'étape 1 à l'étape 4, dix fois au total.

Mise en garde

Ne faites pas cet exercice si vous avez le bas du dos faible ou cette partie du corps en mauvais état.

La hanche et la cuisse

Cet exercice est excellent pour étirer et
tonifier les quadriceps ou muscles de la cuisse.
Il améliore la souplesse et renforce l'avant de
la hanche et le genou. Vous avez besoin d'un
petit oreiller, d'un coussin ou d'une serviette
repliée.

1

*Allongez-vous au sol sur le côté gauche et
étendez le bras gauche au-dessus de la tête, la
paume posée à plat. Placez l'oreiller ou la
serviette sur la partie supérieure du bras tendu
et posez joue gauche dessus. Laissez le bras
droit reposer devant vous, dans l'alignement de
l'épaule, la paume posée à plat. Repliez les
genoux à environ 45 degrés.*

2

*Rentrez votre nombril et tirez votre plancher
pelvien vers le haut. Tenez cette position puis
relâchez-la légèrement jusqu'à environ 25 %
de la tension. Respirez régulièrement en
pratiquant la respiration thoracique (voir
page 24).*

3

*Expirez et allez lentement saisir votre pied droit
avec la main droite. Expirez tout en attirant
votre pied lentement aussi près que possible de
la fesse, sans forcer. Vous devez alors ressentir
un étirement du devant de la cuisse droite.
Veillez à ce que le mouvement reste lent et
doux. Ne vous crispez pas au moment où vous
faites le geste de saisir votre pied.*

Mise en garde

Si vous ressentez la moindre douleur à la hanche, à la cuisse ou dans le genou pendant l'exercice, arrêtez aussitôt et consultez un médecin.

4

Inspirez et relâchez doucement la traction sur la jambe en raccompagnant celle-ci vers sa position d'origine. Répétez l'étirement dix fois au total, en expirant à chaque traction.

5

Répétez l'exercice dix autres fois mais en vous allongeant sur le côté droit et en utilisant la main gauche pour étirer la jambe gauche.

Conseil

Gardez tendus les muscles abdominaux tout au long de l'exercice. Votre cou et votre tête ne doivent pas s'écarter de l'oreiller.

Glossaire

Adrénaline
Hormone sécrétée par la glande
médullosurrénale, qui prépare le corps à la
réponse au stress. Elle a des effets étendus sur
les muscles, la circulation et le métabolisme du
sucre.

Alignement
Position en ligne droite.

Biceps
Ce mot est couramment utilisé pour désigner les
muscles du devant du bras, mais il y a également
des biceps à l'arrière de la cuisse.

Blocage des vertèbres dorsales
Déformation qui provoque la raideur de la
colonne vertébrale à la suite d'une contraction
musculaire. Elle entraîne des douleurs dans les
bras et une tension dans la région thoracique.

Centrage
Ce mot définit la technique qui consiste à
centrer le corps en renforçant et en stabilisant le
centre d'énergie (la zone qui s'étend des
abdominaux jusqu'aux muscles fessiers,
maintenant le corps derrière et devant).

Centre d'énergie
Zone qui va des muscles abdominaux au bas du
dos, entourant le corps. Dans le Pilates, c'est la
zone d'où rayonne toute énergie et tout
mouvement.

Ch'i
Selon la tradition chinoise, cette énergie ou force
vitale imprègne tout – elle est à l'intérieur et
autour de toute chose, vivante ou non.

Cortisol
Hormone secrétée par les glandes surrénales et à
l'action essentielle dans la réponse au stress et la
régulation des glucides, des lipides et des protides.

Cyphose
Déformation de la colonne vertébral qui
entraîne une convexité excessive de la colonne
et qui peut conduire le dos à se voûter.

Deltoïdes
Muscles triangulaires épais qui couvrent l'épaule,
ils rendent possible l'élévation du bras.

Ectomorphe
L'un des trois grands types morphologiques, avec
l'endomorphe et le mésomorphe. L'ectomorphe
est plutôt de corpulence légère et délicate,
souvent grand et mince, avec des membres
allongés. Sa silhouette va souvent de pair avec
la vivacité d'esprit et une personnalité intellectuelle
et introvertie.

Endomorphe
L'un des trois grands types morphologiques.
L'endomorphe est lourd ou enrobé, il peut avoir
du mal à perdre du poids. Il est porté à une
attitude décontractée flegmatique, mêlée
d'hédonisme

Endorphines
Substance chimique « du bonheur » produites
par le cerveau, qui réduisent la douleur et
provoquent un sentiment de bien-être.

Fessier (grand)
Ce muscle, constitué de deux faisceaux, constitue
la partie charnue de la fesse. C'est le muscle le
plus volumineux de l'organisme.

Fessier (petit)
Muscle, constitué de deux faisceaux, situé
au-dessus de la partie charnue de la fesse.

Gaz carbonique
Gaz incolore formé dans les tissus pendant le
métabolisme, qui est transporté par le sang vers
les poumons puis expiré.

Leucocytes

Globules blancs, cellules du sang qui protègent l'organisme contre les micro-organismes responsables des infections.

(Hyper)Lordose cervicale

Déformation de la colonne vertébrale dans la région du cou. Les muscles de l'arrière du cou se contractent, tandis que ceux de devant se développent excessivement. Le menton avance et, à la longue, cette déformation peut entraîner l'inflammation des articulations, voire de l'arthrite.

(Hyper)Lordose lombaire

Déformation de la colonne vertébrale due à l'affaiblissement des abdominaux, qui pousse le ventre en avant et crée une courbure anormale dans le bas du dos.

Lymphe

Liquide présent dans le système lymphatique (réseau de vaisseaux). La lymphe transporte les leucocytes, ou globules blancs, qui jouent un rôle capital dans la défense de l'organisme.

Médecine traditionnelle chinoise (MTC)

La MTC est un système thérapeutique fort ancien qui fonde ses diagnostics sur la constitution particulière (ou terrain) de chaque individu plutôt que sur une maladie donnée. Elle associe la phytothérapie chinoise et l'acupuncture dans ses pratiques curatives.

Mésomorphe

L'un des trois grands types morphologiques. Le mésomorphe est athlétique et musclé, avec une carrure large, des membres et des muscles longs. Le type mésomorphe est parfois associé à une tendance à l'agressivité. Il fait d'excellents sportifs.

Muscle angulaire de l'omoplate

Muscles situés sur les côtés et l'arrière du cou.

Quadriceps

Muscles situés dans les cuisses.

Rachitisme

Maladie infantile dans laquelle les os ne se solidifient pas et se déforment. Elle est provoquée par une déficience en vitamines D.

Réponse au stress

Processus qui prépare le corps à l'effort physique. Lorsque le corps est soumis à un stress violent, il se mobilise pour répondre aussitôt en libérant de l'adrénaline ainsi que d'autres hormones dans l'organisme. Le rythme cardiaque et la respiration s'accélèrent tandis que toutes les fonctions qui ne sont pas immédiatement indispensables à la survie – y compris le système immunitaire et la digestion – sont automatiquement suspendues.

Respiration thoracique

Connue également sous le nom de « respiration latérale ». Elle consiste à gonfler les côtes de la partie thoracique basse arrière : lorsque l'air pénètre dans les poumons, l'arrière et les côtés de la cage thoracique augmentent de volume, puis se rétractent lorsque l'air est expulsé. De cette façon, l'abdomen peut rester contracté sans toutefois empêcher une pleine respiration.

Splanchnoptose

Déformation vertébrale qui entraîne un proéminence et une faiblesse de l'abdomen ainsi qu'une mauvaise circulation.

Swayback

Déformation des vertèbres dorsales qui entraîne un affaiblissement des ligaments et des muscles.

Tai-chi chuan
Ensemble d'exercices agissant sur le corps et sur le mental, qui se pratique en Chine depuis au moins 2 000 ans.

Tan tien
Mot chinois qui désigne la source du *ch'i*, l'énergie vitale, située dans la zone abdominale.

Trapèze
Muscle triangulaire plat qui recouvre l'arrière du cou et les épaules.

Triceps
Muscles à l'arrière du haut du bras.

Yoga
École philosophique hindoue qui intègre des techniques physiques et mentales dans son approche de la santé. Il existe différentes formes de yoga : la plus connue est le hatha-yoga qui, au moyen d'exercices physiques, vise principalement le bien-être. La pratique du yoga en Inde remonte à 4 000 ans.

Adresses, livres et sites internet utiles

Le Studio Pilates de Paris®
39 rue du Temple
75004 Paris
Tél. : 01 42 72 91 74 et 06 81 77 27 16
Télécopie : 01 42 72 91 87
Site : www.obtpilates.com

Centre Pilates Laura Porter Blackburn
131, rue Saint-Denis
75001 Paris
Tél. : 01 45 08 44 29

Le studio Pilates de Nice
4, rue Massena
06000 Nice
Tél. : 06 63 23 54 64

Cristiane Domenici Studio
4, rue de Turckheim
06400 Cannes
Tél. / Fax : 04 92 99 15 74 et 06 86 17 30 41
Site : www.pilatesriviera.com

Corpus Pilates - Pilates Plus Studio
30, rue de Vergnies (Place Flagey)
1050 Ixelles – Bruxelles (Belgique)
Tél. : 0477 733 337

Trois livres :
Découvrez la méthode Pilates
de N.A Herdma et A. Selby,
aux Éditions de l'Homme

Avoir un corps superbe
Grâce à la méthode Pilates
de C. Kuhnert
aux Éditions Vigot

Pour un dos en pleine forme : Plus
de 50 exercices de musculation
et de relaxation
de Tia Stanmore
aux Éditions Flammarion

Une cassette VHS de 55 mn :
Forme Santé, Pilates - Une introduction
à la méthode Pilates
La voie du pouvoir intérieur (disponible
en DVD)
Commande : www.imavision.com

Pour une information en français, le site du
Centre Pilates de Montréal (Québec)
www.centrepilatesdemontreal.com

The Global Independent Pilates
Reference Source
Site : www.pilates.co.uk
Ce site international anglais est très complet.
Il permet de trouver un instructeur ou un
studio parmi 580 studios et 600 instructeurs
dans 35 pays.

Index